Petite bête, grosse

Danielle Simard

Illustrations : Marie-Claude Favreau

Directrice de collection : Denise Gaouette

Données de catalogage avant publication (Canada)

Simard, Danielle, 1952-

Petite bête, grosse bêtise

(Rat de bibliothèque. Niveau 1 ; 2)
Pour enfants de 6 ans.

ISBN 978-2-7613-1297-4

I. Favreau, Marie-Claude. II. Titre. III. Collection : Rat de bibliothèque (Saint-Laurent, Québec). Niveau 1 ; 2

PS8587.I287P47 2001 jC843'.54 C2001-941440-4
PS9587.I287P47 2001
PZ23.S55Pe 2001

© ÉDITIONS DU RENOUVEAU PÉDAGOGIQUE INC., 2002
Tous droits réservés.

On ne peut reproduire aucun extrait de ce livre sous quelque forme ou par quelque procédé que ce soit – sur machine électronique, mécanique, à photocopier ou à enregistrer, ou autrement – sans avoir obtenu, au préalable, la permission écrite des ÉDITIONS DU RENOUVEAU PÉDAGOGIQUE INC.

Dépôt légal : 1er trimestre 2002
Bibliothèque nationale du Québec
Bibliothèque nationale du Canada

IMPRIMÉ AU CANADA

890 IML 0987
10495 ABCD SC16

Rémi a une petite amie cachée.

—Ce n'est pas une bonne idée, dit Amélie.

L'amie cachée a fait pipi
sur le livre de Rémi.

L'amie cachée a rongé le crayon de Rémi.

L’amie cachée a mangé
la pomme de Rémi.

Les yeux de Zoé piquent.

Le nez de Noé coule.

Tout à coup, l'amie cachée
pousse des petits cris.

L’enseignante Magali dit :
—J’entends un drôle de bruit.

Magali regarde
dans le pupitre de Rémi.

Magali pousse un grand cri.

Rémi a fait une grosse bêtise
avec sa petite bête.

Magali amène Rémi et son amie chez le directeur.

Maintenant, Rémi et sa souris
ne dérangent plus la classe.